사랑하는 내 아기

에게

CONTENTS

내 이야기의 시작

엄마가 내가 생긴 걸 처음 알았을 때

엄마가 아빠에게 한 말

아빠가 엄마에게 한 말

엄마는 뱃속의 나를 이렇게 상상했대요

아빠는 엄마 뱃속의 나를 이렇게 상상했대요

엄마 뱃속에 있을 때, 엄마 아빠가 불러 준 내 별명

내가 세상에 나오기로 한 날

내가 태어나기 전에 준비되어 있던 것들

엄마 뱃속에서

엄마, 아빠가 처음으로 내 심장 소리를 들었을 때

엄마가 내 움직임을 처음 느꼈을 때

곧 태어날 나를 기다리는 엄마의 간절한 소원

곧 태어날 나를 위해 가족들이 준비했던 것들

내 초음파 사진

엄마가 나를 가졌을 때 사진들

나의 사랑하는 가족

우리 엄마 이름은요

엄마는 내가 커서 되면 좋겠대요

우리 아빠 이름은요

아빠는 내가 커서 되면 좋겠대요

다른 가족들은 누가 있지?

우리 가족을 자랑할래요

나의 가족 그림

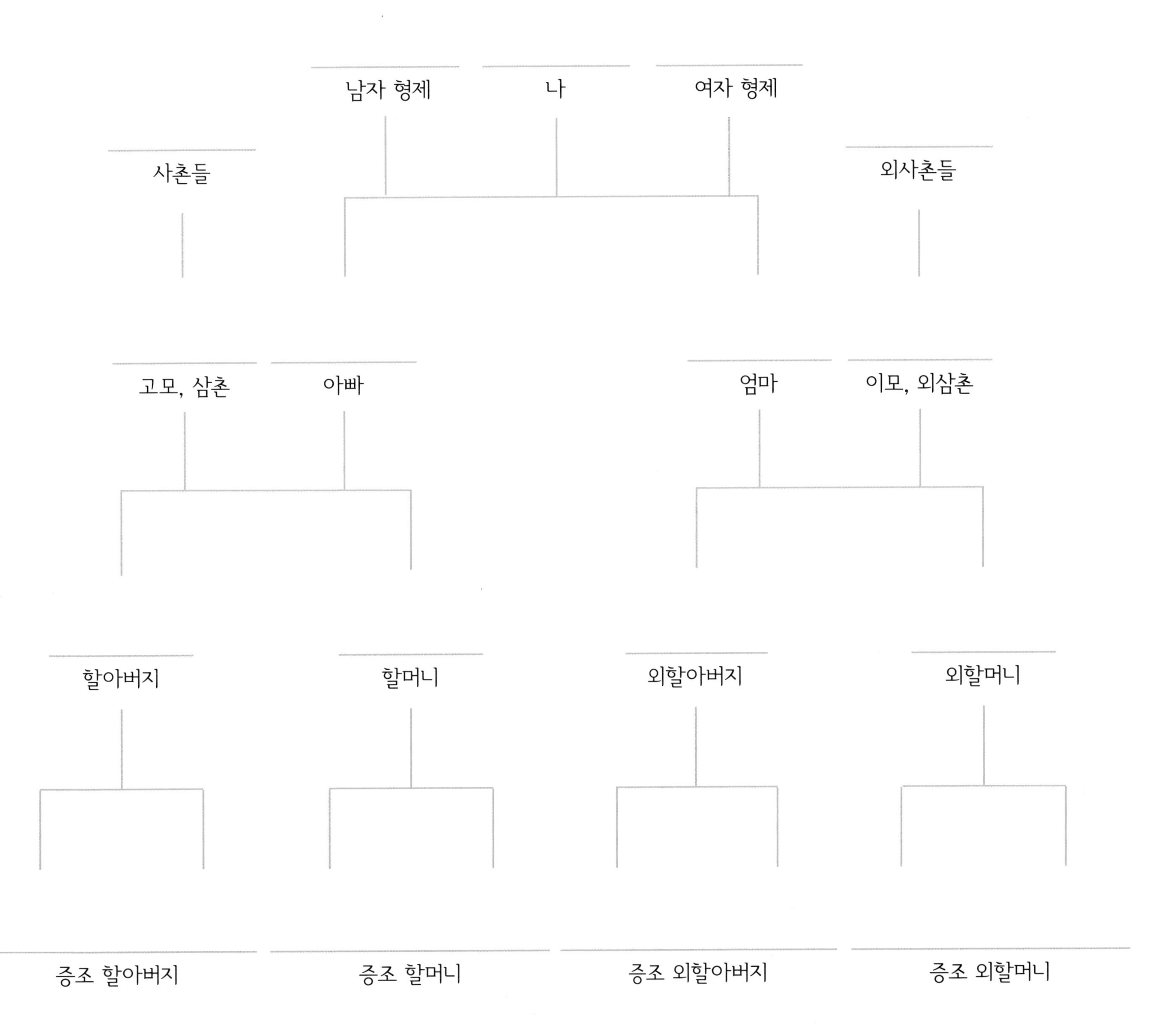
남자 형제
나
여자 형제
사촌들
외사촌들
고모, 삼촌
아빠
엄마
이모, 외삼촌
할아버지
할머니
외할아버지
외할머니
증조 할아버지
증조 할머니
증조 외할아버지
증조 외할머니

가족 사진

내가 태어난 순간!

내가 태어난 날

내가 태어난 시간

내 몸무게

내 키

내가 태어난 곳

나를 받아주신 의사 선생님

엄마, 아빠가 기억하시는 내가 태어난 날

내 사진들

나를 보며 한 말들

나를 본 엄마의 첫마디

나를 본 아빠의 첫마디

사랑하는 나의 다른 가족들이 나를 보고 한 말

그 밖에 축하해 주신 분들

소중한 기념품

내 머리카락

병원팔찌

내 이름은요

엄마, 아빠가 생각했던 내 이름들

마침내 결정된 내 이름

이 이름을 갖게 된 이유

내 이름의 뜻

내 별명

엄마, 아빠는 나를 이렇게 불러요. 왜냐하면

난 누굴 닮았을까?

내 눈은

내 머리카락은

내 피부색은

엄마를 닮은 곳은

아빠를 닮은 곳은

예쁜 내 모습을 담은 사진들

영원히 기억해두고 싶은 날

내가 태어난 날 세상에 일어난 일들

신문의 첫 페이지 기사

가장 인기 있던 노래는

엄마, 아빠가 가장 좋아하는 가수는

가장 유명한 배우는

가장 유명한 운동선수는

분유 한 통 값은

기저귀 값은

신문 기사와 기억해둘 만한 일들을 붙여 주세요

드디어 집으로!

내가 처음 집에 온 날

내가 처음 살았던 집 주소

집으로 오면서 나는

집에서 나를 기다린 사람은

집으로 들어오자마자 나는

내 방 모습은

나를 사랑하는 분들이 주신 선물들

내 사진들

좋은 꿈꿔!

집에서 처음 잠을 잔 날, 난 시간을 잤어요.

우리 부모님도 시간을 주무셨어요

우리 부모님이 기억하는 우리 집에서 첫날밤은

내가 잠들 때 필요한 것들

내가 가장 좋아하는 자장가는

잠잘 때 나의 포즈

이러면 난 잠들 수 없다구요

내가 가장 좋아하는 자장가

내 사진들

일어나 잠꾸러기!

나는 부지런쟁이일까, 잠꾸러기일까?

나는 잠에서 깨면 이렇게 알려요

내가 눈을 뜨자마자 하고 싶어하는 것들

맛있게 얌얌!

나의 첫 이유식

나만을 위한 엄마의 이유식 레시피

내가 가장 좋아하는 음식

내가 가장 싫어하는 음식

혼자서 숟가락으로 먹었을 때

내 사진들

목욕 시간이다!

집에서 처음으로 목욕한 날

내 반응은

목욕할 때 내가 좋아하는 것들

내 사진들

살도 통통, 키도 쑥쑥!

	몸무게	키	머리둘레
태어났을 때			
첫 번째 달			
두 번째 달			
세 번째 달			
네 번째 달			
다섯 번째 달			
여섯 번째 달			
일곱 번째 달			
여덟 번째 달			
아홉 번째 달			
열 번째 달			
열 한번째 달			
한 살			
두살			
세살			

예방 접종 기록

치과에서 / 나의 젖니

나의 첫 젖니가 나온 날

위 턱

왼쪽 모양	오른쪽 모양
가운데 앞니	가운데 앞니
바깥 앞니	바깥 앞니
송곳니	송곳니
첫째 어금니	첫째 어금니
둘째 어금니	둘째 어금니

아래 턱

왼쪽 모양	오른쪽 모양
둘째 어금니	둘째 어금니
첫째 어금니	첫째 어금니
송곳니	송곳니
바깥 앞니	바깥 앞니
가운데 앞니	가운데 앞니

나의 첫 젖니가 나온 날

내가 다니던 소아과 의사 선생님 이름은

처음으로 소아과에 갔을 때

내 혈액형은

내가 처음으로 아팠을 때

내 발자국

내 손자국

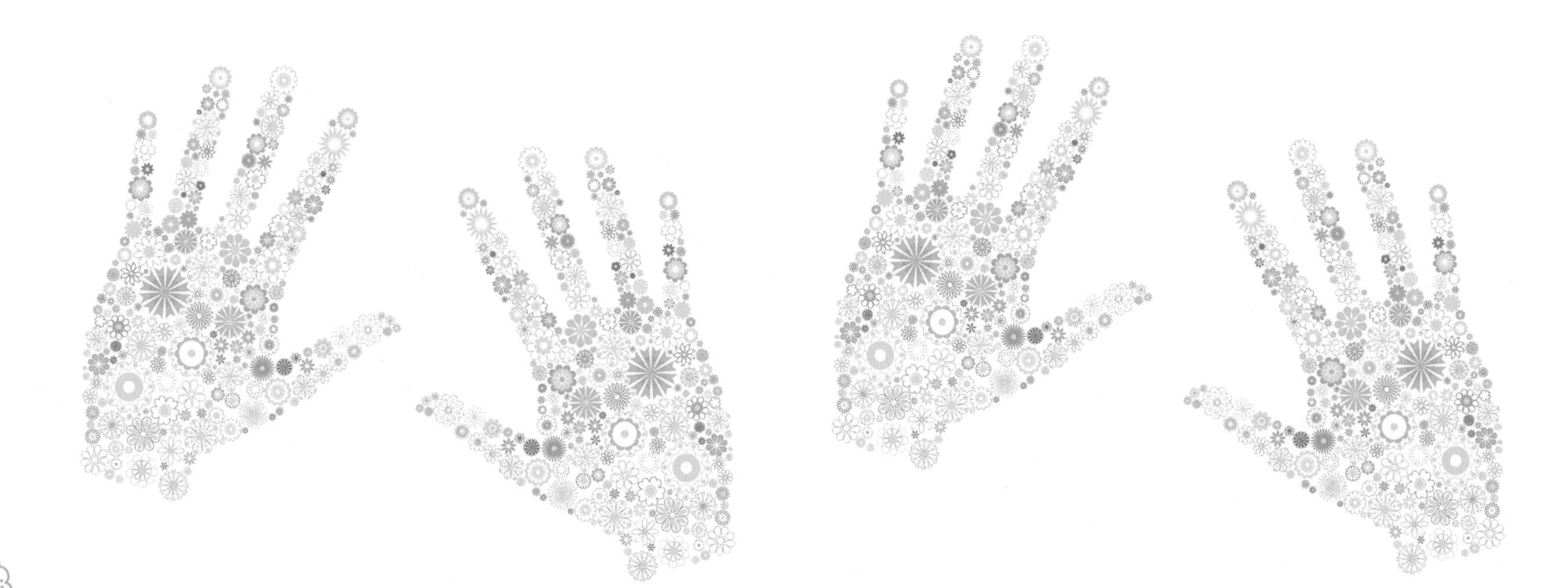

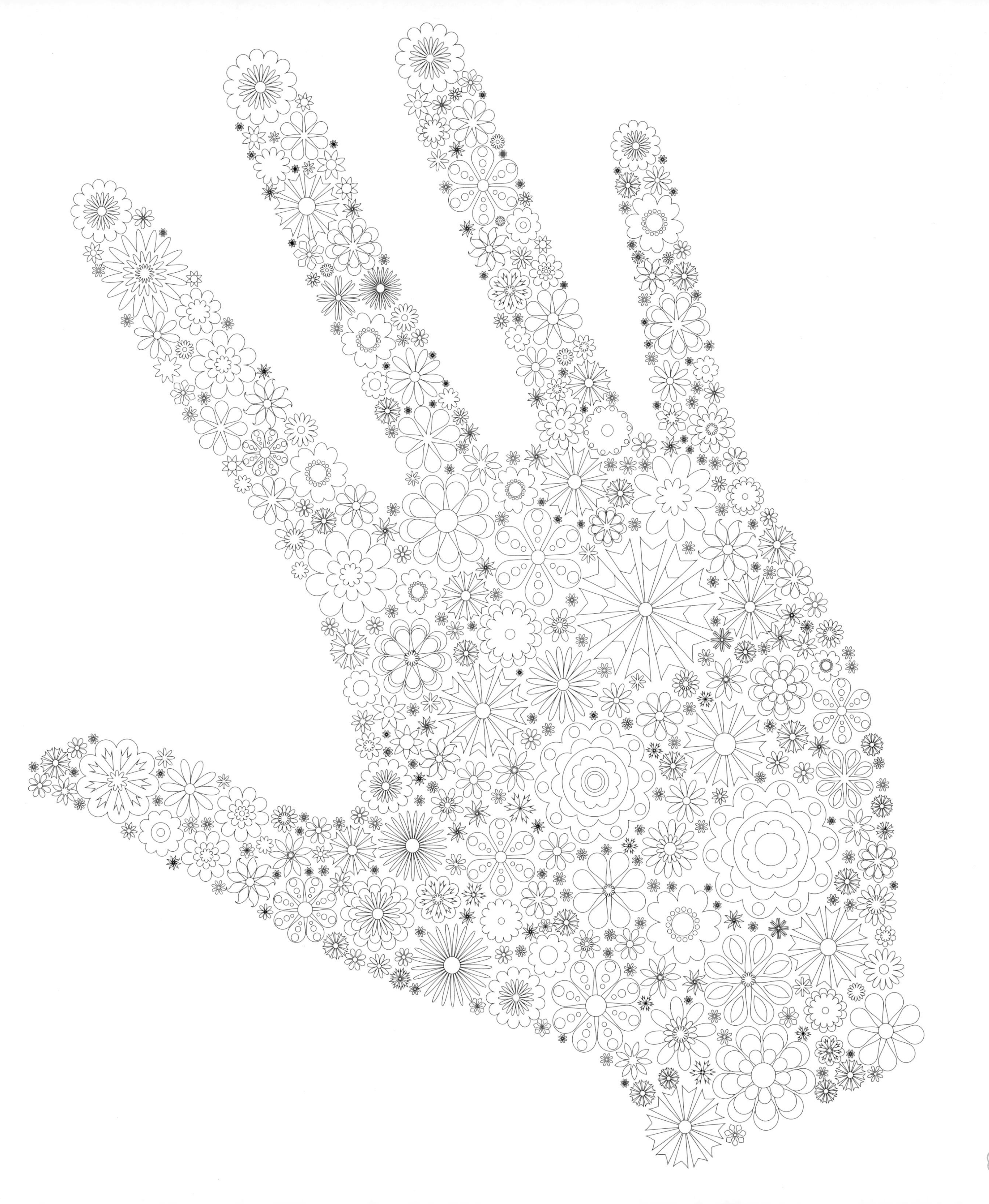

밖으로 나가볼까!

첫 번째 가족 나들이

내 기분은

나를 보고 사람들이 한 말은

내가 가장 좋아하는 곳은

우리 가족의 첫 휴가

내 사진들

나의 첫 걸음!

처음 기어 다니기 시작했을 때

처음 혼자서 일어섰을 때

도움을 받아 첫 발을 내디뎠을 때

도움 없이 처음으로 혼자 걸었을 때

처음 달리기 시작했을 때

특별한 순간

이벤트

함께 한 사람들

내 기분, 내가 한 일들

기분 좋은 기억들

특별한 사진을 붙여주세요

내 사진들

나의 첫 번째 생일

내 첫 생일파티에 오신 분들

케이크 모양

받은 선물들

내가 좋아하는 선물은

파티의 추억들

특별한 사진을 붙여주세요

내 사진들

한 살 때 처음으로 한 일들

처음 탑을 쌓았을 때

혼자서 옷을 입어보려고 했을 때

혼자서 먹어보려고 했을 때

처음 공을 위로 던져 봤을 때

처음 깡충하고 뛰어 봤을 때

다른 새로운 경험들

나의 첫 마디

내가 처음으로 말한 단어

나는 어떻게 말했을까?

처음으로 "엄마"라고 말했을 때

처음으로 "아빠"라고 말했을 때

내가 가장 좋아하는 것들

가장 좋아하는 책

가장 좋아하는 장난감

내가 가장 좋아하는 노래

엄마, 아빠와 함께 하는 가장 좋아하는 놀이

나를 가장 기쁘게 하는 것

나를 가장 화나게 하는 것

나를 달래 주는 것

난 휴가중

우리가 간 곳은

내 기분은

아름다운 기억들

나의 두 번째 생일

내 생일파티에 오신 분들

케이크 모양

받은 선물들

내가 가장 좋아하는 선물은

파티의 추억들

특별한 사진을 붙여주세요

내 사진들

두 살 때 처음으로 한 일들

기저귀를 뗐을 때

동그라미를 그렸을 때

색깔 이름을 알았을 때

다섯까지 숫자를 세었을 때

혼자서 이를 닦았을 때

세발 자전거를 탔을 때

혼자서 옷을 입었을 때

내 이름을 잘 알고 말했을 때

새로운 경험들

내 친구들

내 친구들 이름

친구들과 함께 했던 놀이

내가 가장 좋아하는 것들

가장 좋아하는 책

가장 좋아하는 장난감

가장 좋아하는 노래

엄마, 아빠와 함께하는 가장 즐거운 놀이

나를 가장 기쁘게 하는 것

나를 가장 화나게 하는 것

나를 달래주는 것

특별한 순간

이벤트

함께 한 사람들

내 기분은

아름다운 기억들

특별한 사진을 붙여주세요

나의 세 번째 생일

내 생일파티에 오신 분들

케이크 모양

받은 선물들

내가 가장 좋아하는 선물은

파티의 추억들

특별한 사진을 붙여 주세요

내 사진들

세 살 때 처음으로 한 일들

동물 그림을 그렸을 때

친구 집에서 열린 파티에 갔을 때

아침에 입을 옷을 스스로 골랐을 때

내 이름을 써 봤을 때

공갈젖꼭지를 뗐을 때

어린이집에서!

어린이집에 처음 갔을 때 내 기분

선생님들 이름은

새 친구들의 이름은

가장 친한 친구의 이름은

특별한 사진을 붙여 주세요

나는 타고난 예술가:
나의 첫 번째 작품

PHOTO CREDITS

All illustrations are reworkings of images drawn
from 123RF, iStockphoto and Shutterstock

English original title: MY FIRST 3 YEARS ©2015
De Agostini Libri S.p.A.
Via G. Da Verrazano 15 - 28100 Novara, Italy
www.whitestar.it - www.deagostini.it

첫째판 1쇄 인쇄 2016년 4월 1일
첫째판 1쇄 발행 2016년 4월 11일

지은이 White Star Publishers **옮긴이** 김정영 **발행인** 장주연 **편집디자인** 김재욱
발행처 군자출판사
등록 제 4-139호(1991. 6. 24)
본사 (10881) 경기도 파주시 회동길 338(서패동 474-1) **전화** (031) 943-1888 **팩스** (031) 955-9545
홈페이지 | www.koonja.co.kr

ISBN 978-89-6278-829-7
정가 15,000원